ISBN : 978-2-7470-3547-7

Texte : Émilie Soleil
Illustrations : Christian Voltz
Dépôt légal : février 2011
Imprimé en Chine
Loi 49-956 du 16 juillet 1949
sur les publications destinées à la jeunesse

Émilie Soleil • Christian Voltz

Les trésors de Papic

bayard jeunesse

Sachou aime beaucoup son papi.
Son papi a une longue longue
barbe qui pique.
C'est pour cela que tout le monde
l'appelle Papic.

– Ohh… mon ballon !
Papic, pourquoi ta barbe pique ?

Pic !

Paf !

– C’est à cause
des trésors que je garde
dedans, Sachou.
Des trésors… qui
racontent des histoires !
Je te les raconterai
quand tu seras plus grand.

Trotti trotta, passe le temps… et Sachou a deux ans.

– Papic, ça y est, je suis grand !
Tu me racontes une histoire de ta barbe ?

– C'est vrai… je te l'avais promis, mon poussin.
Alors, fouille dans ma barbe et choisis un trésor.

– Aïe ! Un clou. Ça pique !

Papic sourit :
– Hé hé ! Ce clou
a une histoire.
Écoute…

– Il y a bien longtemps,
avec des clous comme celui-là,
j'ai construit une maison.
Une maison si solide
que tu y habites
encore maintenant,
avec ton papa et ta maman.

– Encore un trésor, Papic !

– Hé ! Pas si vite, poussin !
Dans un an, toi et moi,
on en reparlera.

Trotti trotta, passe le temps… et Sachou a trois ans.

– Regarde, Papic, comme je suis grand !

– Je vois ça, poussin !
Alors, fouille dans ma barbe et choisis un trésor.
Ouille ! Doucement…

– C’est quoi, Papic,
ce drôle de petit crochet ?

Papic sourit :
– Hé hé ! Ce petit crochet
a une drôle d’histoire.
Écoute…

– Il y a bien longtemps, ce petit crochet
m'a permis de pêcher un gros poisson.
Un poisson si gros que tout le village est venu
en manger un petit morceau !
Regarde !

– Ohhh… Encore
un trésor, Papic !

– Hé hé ! Pas si vite, poussin !
Dans un an, toi et moi,
on en reparlera.

Trotti trotta, passe le temps… et Sachou a quatre ans.

– Ça y est, Papic, je suis un grand, maintenant !

– C'est bien vrai, ça. Que vas-tu trouver dans ma barbe à trésors, cette fois ?

– Une rose pleine de piquants ! Mmm... elle sent bon.

Papic sourit :
– Eh oui... Cette rose a une belle histoire. Écoute...

– Quand j'ai rencontré ta mamie,
elle m'a offert un tout petit rosier.
Regarde comme il a poussé !
Il doit se plaire ici, il est toujours fleuri.

Trotti trotta, passe le temps...
Sachou est vraiment, vraiment grand, maintenant !

Cette fois, c'est Papic qui fouille
dans sa barbe à trésors et il en sort...
un magnifique stylo plume !

– Tiens, poussin !
C'est un cadeau pour toi.

– Pour moi ?
Merci, merci, Papic !

– Ce stylo plume
n'a encore jamais servi,
mon poussin.
Tu es un grand, il est pour toi.
Et les histoires...
maintenant, c'est toi
qui les inventeras !

Dans la collection Les Belles HISTOIRES des tout-petits

G. Bigot • J. Goffin

V. Massenot • V. Guérin

C. Sagnier • V. Bourgeau

C. Norac • I. Godon

C. Clément • O. Latyk

S. Poillevé • N. Rouvière

R. Gouichoux • C. Proteaux

S. Poillevé • É. Battut

É. Battut

É. Reberg • J. Goffin

R. Gouichoux • G. Spee

J. Ashbé

F. Diep • F. Teyssèdre

C. Voltz

A.S. Dzotap • P. de Kemmeter

J.F. Rosell • B. Giacobbe